Pierre et le Loup

Miguelanxo PRADO

Pierre et le Loup

Une adaptation du conte original
de Serge Prokofiev.

Traduction : Franck Reichert
Lettrage : Pomme Verte

les albums Duculot

© **Miguelanxo Prado**
représenté par les éditions NORMA

http://www.casterman.com

ISBN 2-203-18218-0
© **Casterman 1995**

Pierre et le loup est un conte populaire. Et les contes populaires sont généralement des produits destinés aux plus petits, alors qu'ils possèdent pourtant un fascinant pouvoir d'évocation sur les plus grands.

Lorsque j'ai commencé à travailler sur ce conte, j'ai découvert que dans chaque trait, dans chaque coup de pinceau par lequel je cherchais à créer le monde de Pierre et son grand-père, je retrouvais, fuyantes et légères, des sensations oubliées. Et j'ai également découvert que le message didactique que tout conte populaire transmet pouvait être actualisé.

Ce fut merveilleux pour moi de rencontrer à nouveau cette lumière énigmatique et ce bois, qui sont les reflets de bien d'autres, rêveries d'enfance, attirants jusqu'au vertige. Souhaitons que ma version de **Pierre et le loup** permette d'accrocher quelque beau souvenir dans un recoin de la mémoire des plus petits, et puisse aider les plus grands à retrouver cette prodigieuse sensation des peurs mythiques, lorsqu'à la lueur d'une petite lampe, une grand-mère ou une mère assise au pied du lit, et les draps tièdes et protecteurs remontés jusqu'au bout du nez, nos yeux écarquillés voyaient, au-delà des taches sur le plafond, les images fascinantes du conte qu'elles étaient en train de nous raconter.

Miguelanxo Prado

Traduction : Dominique Grange

6.

À L'ORÉE D'UNE IMMENSE FORÊT, VASTE COMME UN OCÉAN, COMME ON N'EN VOIT QUE DANS LES CONTES, SE DRESSAIT UNE MAISON.

DE CETTE MAISON PARTAIT UN SENTIER QUI CONDUISAIT AU PORTAIL D'UNE CLÔTURE.

UN CHEMIN S'ÉLOIGNAIT DE CE PORTAIL, MENANT D'UN CÔTÉ À LA FORÊT DANS LAQUELLE IL S'EN-FONÇAIT, ET DE L'AUTRE AU HAMEAU.

1.

DANS CETTE MAISON, CERNÉE PAR CETTE CLÔTURE ET CETTE FORÊT, VIVAIENT PIERRE ET SON GRAND-PÈRE

SOUVIENS-TOI, PIERRE : NE T'ÉLOIGNE JAMAIS DE LA MAISON, ET SURTOUT, NE PRENDS PAS CE CHEMIN.

ET N'ENTRE DANS CETTE FORÊT SOUS AUCUN PRÉTEXTE, CAR, À COUP SÛR, TU N'EN RESSORTIRAS JAMAIS.

UN LOUP Y RÔDE, GRAND COMME UN OURAGAN ET D'UNE EFFROYABLE VORACITÉ.

2.

PIERRE NE DISAIT RIEN.

EN SON FOR INTÉRIEUR SE MÊLAIENT EFFROI ET ATTIRANCE INVINCIBLE.

AUSSI VASTE QUE LA FORÊT.

LA FORÊT...

5.

PIERRE SE RÉVEILLA AUX PREMIÈRES LUEURS DE L'AUBE.

IL SORTIT SANS BRUIT DE LA MAISON,
SUIVIT LE SENTIER ET SORTIT SUR
LE CHEMIN.

UN PETIT OISEAU, PERCHÉ SUR LA BRANCHE
D'UN ARBRE, LE SALUA DE SES TRILLES FLÛTÉES.

BONJOUR, PIERRE.
TU ES TOMBÉ DU LIT.

SALUT,
PETIT OISEAU.

ILS SUIVIRENT LE CHEMIN DE CONSERVE ET ENTRÈRENT DANS LA FORÊT. L'HALEINE DE CELLE-CI S'EN EXHALAIT, LOURD ET HUMIDE ARÔME DE MOUSSES ET DE FEUILLES MORTES AINSI QUE LE CLAPOTIS D'UNE CANE DANS UNE MARE.

OÙ VAS-TU, PIERRE ? TON GRAND-PÈRE NE T'A-T-IL PAS INTERDIT D'ENTRER DANS CETTE FORÊT ?

UN LOUP, GRAND COMME UNE MONTAGNE ET TOUJOURS INASSOUVI, SE DISSIMULÉ DANS LA PÉNOMBRE.

BAH! RACONTARS DE FROUSSARDS! L'AURAIS-TU VU, TOI, PAR HASARD?

CEUX QUI L'ONT VU NE SONT PLUS LÀ POUR EN TÉMOIGNER, JEUNE FOU TÉMÉRAIRE.

LES OISEAUX SE LANCENT DANS UNE CHAUDE ET BRUYANTE DISCUSSION PORTANT SUR LES ÉVENTUELS AVANTAGES QU'IL Y A À ENTRER OU NE PAS ENTRER DANS LA FORÊT, ET PIERRE LES OBSERVE SANS S'EN MÊLER.

6.

TANDIS QUE PERDURE, INTERMINABLE, LA CONTROVERSE DES OISEAUX ET QUE PIERRE DÉCOUVRE LES INNOMBRABLES BRUITS ET RUMEURS DE LA FORÊT, QUELQUE CHOSE S'APPROCHE D'EUX SANS QU'ILS Y PRENNENT GARDE.

D'ABORD UN PAS...

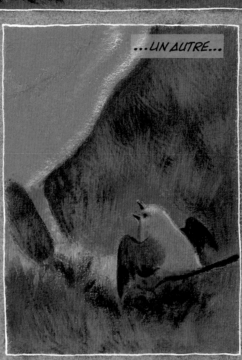

...UN AUTRE...

...ET UN AUTRE ENCORE...

CE FUT LE PETIT OISEAU QUI, LE PREMIER, SENTIT UNE SOUDAINE PRÉSENCE ÉTRANGÈRE ET COMPRIT QU'UNE MENACE S'APPROCHAIT.

♪ ...?

RÉSIGNÉ, LE CHAT SUIVIT DE SES YEUX GOURMANDS CETTE SCANDALEUSE BOULE DE PLUMES QUI VOLE- TAIT AUTOUR DE LUI SANS CESSER DE PÉPIER.

ET LA CANE, MISE EN MÉFIANCE, REGARDANT LE CHAT DE TRAVERS, À L'AFFÛT DU MOINDRE MOUVEMENT.

LE TUMULTE RETENTIT À TRAVERS TOUTE LA FORÊT...

...ET DANS LE FRISQUET SILENCE DU PETIT MATIN.

PIERRE!

JE CONSTATE QUE TU AS FAIT PEU DE CAS DE MES CONSEILS!

JE SUIS JUSTE... ENTRÉ UN TOUT PETIT PEU...

CROIS-TU QUE LE LOUP GIGANTESQUE QUI HANTE CETTE FORÊT SE SOUCIERA DE SAVOIR SI TU T'ES AVANCÉ DE QUELQUES MÈTRES OU TRÈS PROFONDÉMENT À L'INTÉRIEUR? LE FAIT EST QUE TU ES ENTRÉ.

LOIN DE LA MAISON ET HORS DE LA CLÔTURE, RIEN NE L'ARRÊTERA.

SON APPÉTIT EST AUSSI GRAND QU'UNE
NUIT D'HIVER ET L'ENFANT QUE TU ES
NE SUFFIRA PAS À LE RASSASIER.

PIERRE FUT TRÈS IMPRESSIONNÉ
PAR CES PAROLES.

MAIS IL NE TARDA PAS À SE DIRE
QU'ELLES ÉTAIENT FORT EXAGÉRÉES.

11.

LA FORÈT ÉTAIT IMMENSE ET, TRÈS CERTAINEMENT, LE LOUP DEVAIT ÊTRE À DES LIEUES D'ICI, CHERCHANT À DÉBUSQUER QUELQUE CHOSE POUR CALMER SA FAIM.

CHERCHANT DES PROIES SANS DÉFENSE.

INGÉNUES ET SANS MÉFIANCE.

AVANT TOUT SANS MÉFIANCE.

13

LE PETIT OISEAU ÉPROUVA DE NOUVEAU LE MÊME FRISSON ET S'ENVOLA À TIRE-D'AILE, MUET D'EFFROI SANS MÊME AVOIR NE SERAIT-CE QU'ENTR'APERÇU LE LOUP.

LE CHAT LE RESSENTIT, LUI AUSSI ET, D'UN BOND, ESCALADA L'ARBRE LE PLUS PROCHE, AVANT D'AVOIR COMPRIS CE QUI L'Y POUSSAIT.

LE FRISSON QU'ÉPROUVA PIERRE, DE SON CÔTÉ, L'INCITA À CAVALER JUSQU'À LA CLÔTURE, EMPLI D'UNE PANIQUE PLUS FORTE ENCORE QUE SA CURIOSITÉ.

LA CANE, ELLE, NE RESSENTIT NUL FRISSON.

14.

LE LOUP L'AVALA D'UN TRAIT, SANS LE MOINDRE EFFORT.

DANS LE SILENCE DE LA FORÊT, ON N'ENTENDAIT PLUS QUE LES CŒURS AFFOLÉS DE PIERRE, DU CHAT ET DU PETIT OISEAU, BATTANT LA CHAMADE, ET LE RONRON REPU DES ENTRAILLES DU LOUP.

15.

DEUX CHASSEURS TRAQUAIENT LE FAUVE.

LEUR EXCITATION FUT TELLE, À SA VUE, QU'ILS N'ÉCOUTÈRENT PAS PIERRE...

...QUI LEUR CRIAIT QU'IL NE SERVAIT À RIEN DE TIRER.

LA FORÊT EXPLOSA.

PIERRE COMPRIT QUE SON GRAND-PÈRE PARTAGEAIT TOUTE LA DOULEUR QU'IL ÉPROUVAIT LUI-MÊME À CET INSTANT PRÉCIS.

C'ÉTAIT UN LOUP MAGNIFIQUE ET LA FORÊT ÉTAIT SON DOMAINE. SI SEULEMENT IL AVAIT SUIVI LE CONSEIL DE SON GRAND-PÈRE, AU LIEU DE...

MAIS L'ÂME DES GENS EST INCONSTANTE.

ET LEUR VANITÉ AUSSI INSATIABLE QUE LA FAIM DES BÊTES FAUVES. CELLE DE PIERRE NE FAISAIT PAS EXCEPTION.

DE SORTE QU'À LA PLACE DE LA PEINE QU'IL AVAIT ÉPROUVÉE POUR LE LOUP, IL NE RESSENTAIT PLUS À PRÉSENT QUE L'ADMIRATION QUE LUI VOUAIT LE HAMEAU TOUT ENTIER POUR SON HAUT FAIT. AINSI VONT LES CHOSES.